만점왕 알파북
계산편

6-2

본 알파북은 **수학 학습내용 이해**에
도움이 될 만한 **계산력 문제**로 구성하였습니다.
이번 학기 교과서 구성과도 꼭 맞는
만점왕 알파북 계산편으로
수학 실력의 밑바탕을 다져 보세요!

차례 6-2

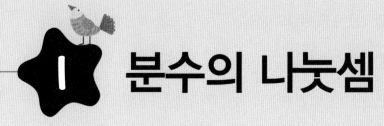

분수의 나눗셈

🌸 그림을 보고 ☐ 안에 알맞은 수를 써넣으세요.

🌸 계산해 보세요.

1

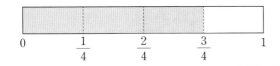

$$\frac{3}{4} \div \frac{1}{4} = \boxed{}$$

5 $\dfrac{4}{5} \div \dfrac{1}{5}$

2

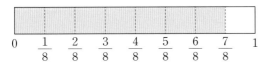

$$\frac{7}{8} \div \frac{1}{8} = \boxed{}$$

6 $\dfrac{5}{9} \div \dfrac{1}{9}$

7 $\dfrac{4}{7} \div \dfrac{2}{7}$

3

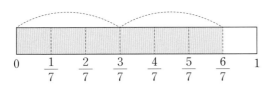

$$\frac{6}{7} \div \frac{3}{7} = \boxed{}$$

8 $\dfrac{9}{10} \div \dfrac{3}{10}$

9 $\dfrac{15}{16} \div \dfrac{5}{16}$

4

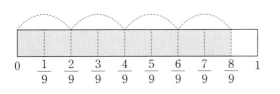

$$\frac{8}{9} \div \frac{2}{9} = \boxed{}$$

10 $\dfrac{12}{13} \div \dfrac{2}{13}$

❋ □ 안에 알맞은 수를 써넣으세요.

1 $\dfrac{4}{5} \div \dfrac{3}{5} = \square \div \square = \dfrac{\square}{\square} = \square$

2 $\dfrac{7}{12} \div \dfrac{5}{12} = \square \div \square = \dfrac{\square}{\square} = \square$

3 $\dfrac{5}{8} \div \dfrac{3}{8} = \square \div \square = \dfrac{\square}{\square} = \square$

4 $\dfrac{6}{7} \div \dfrac{5}{7} = \square \div \square = \dfrac{\square}{\square} = \square$

5 $\dfrac{7}{9} \div \dfrac{2}{9} = \square \div \square = \dfrac{\square}{\square} = \square$

6 $\dfrac{9}{11} \div \dfrac{4}{11} = \square \div \square = \dfrac{\square}{\square} = \square$

❋ 관계있는 것끼리 이어 보세요.

7

$\dfrac{2}{9} \div \dfrac{5}{9}$	$13 \div 7$	$\dfrac{2}{5}$
$\dfrac{8}{11} \div \dfrac{3}{11}$	$8 \div 3$	$1\dfrac{6}{7}$
$\dfrac{13}{16} \div \dfrac{7}{16}$	$2 \div 5$	$2\dfrac{2}{3}$

8

$\dfrac{10}{13} \div \dfrac{3}{13}$	$2 \div 3$	$3\dfrac{1}{3}$
$\dfrac{2}{4} \div \dfrac{3}{4}$	$8 \div 9$	$\dfrac{8}{9}$
$\dfrac{8}{15} \div \dfrac{9}{15}$	$10 \div 3$	$\dfrac{2}{3}$

9

$\dfrac{15}{17} \div \dfrac{4}{17}$	$3 \div 7$	$3\dfrac{3}{4}$
$\dfrac{3}{10} \div \dfrac{7}{10}$	$15 \div 4$	$1\dfrac{1}{4}$
$\dfrac{5}{7} \div \dfrac{4}{7}$	$5 \div 4$	$\dfrac{3}{7}$

✹ 계산해 보세요.

1 $\dfrac{7}{8} \div \dfrac{3}{8}$

2 $\dfrac{10}{11} \div \dfrac{9}{11}$

3 $\dfrac{2}{7} \div \dfrac{5}{7}$

4 $\dfrac{13}{14} \div \dfrac{9}{14}$

5 $\dfrac{3}{9} \div \dfrac{8}{9}$

6 $\dfrac{11}{12} \div \dfrac{7}{12}$

7 $\dfrac{5}{13} \div \dfrac{12}{13}$

8 $\dfrac{7}{16} \div \dfrac{5}{16}$

9 $\dfrac{2}{5} \div \dfrac{3}{5}$

10 $\dfrac{11}{15} \div \dfrac{4}{15}$

11 $\dfrac{9}{10} \div \dfrac{7}{10}$

12 $\dfrac{5}{18} \div \dfrac{13}{18}$

※ □ 안에 알맞은 수를 써넣으세요.

1 $\dfrac{2}{3} \div \dfrac{1}{9} = \dfrac{\square}{9} \div \dfrac{\square}{9}$

$= \square \div \square = \square$

2 $\dfrac{12}{16} \div \dfrac{3}{8} = \dfrac{\square}{16} \div \dfrac{\square}{16}$

$= \square \div \square = \square$

3 $\dfrac{5}{8} \div \dfrac{1}{4} = \dfrac{\square}{8} \div \dfrac{\square}{8}$

$= \square \div \square = \dfrac{\square}{\square} = \square$

4 $\dfrac{3}{7} \div \dfrac{2}{5} = \dfrac{\square}{35} \div \dfrac{\square}{35}$

$= \square \div \square = \dfrac{\square}{\square} = \square$

5 $\dfrac{7}{8} \div \dfrac{5}{9} = \dfrac{\square}{72} \div \dfrac{\square}{72}$

$= \square \div \square = \dfrac{\square}{\square} = \square$

6 $\dfrac{4}{9} \div \dfrac{5}{6} = \dfrac{\square}{18} \div \dfrac{\square}{18}$

$= \square \div \square = \dfrac{\square}{\square}$

7 $\dfrac{2}{5} \div \dfrac{7}{9} = \dfrac{\square}{45} \div \dfrac{\square}{45}$

$= \square \div \square = \dfrac{\square}{\square}$

8 $\dfrac{5}{6} \div \dfrac{3}{4} = \dfrac{\square}{12} \div \dfrac{\square}{12}$

$= \square \div \square = \dfrac{\square}{\square} = \square$

9 $\dfrac{6}{7} \div \dfrac{5}{14} = \dfrac{\square}{14} \div \dfrac{\square}{14}$

$= \square \div \square = \dfrac{\square}{\square} = \square$

10 $\dfrac{7}{12} \div \dfrac{3}{8} = \dfrac{\square}{24} \div \dfrac{\square}{24}$

$= \square \div \square = \dfrac{\square}{\square} = \square$

5 (분수)÷(분수) 알아보기(3)—②

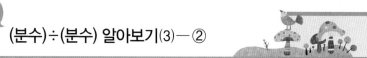

❋ **보기** 와 같이 계산해 보세요.

보기

$$\frac{2}{3} \div \frac{3}{7} = \frac{14}{21} \div \frac{9}{21} = 14 \div 9 = \frac{14}{9} = 1\frac{5}{9}$$

1 $\dfrac{2}{5} \div \dfrac{1}{20}$ _____

2 $\dfrac{5}{6} \div \dfrac{1}{3}$ _____

3 $\dfrac{4}{5} \div \dfrac{4}{15}$ _____

4 $\dfrac{8}{9} \div \dfrac{1}{7}$ _____

5 $\dfrac{3}{8} \div \dfrac{2}{3}$ _____

6 $\dfrac{5}{7} \div \dfrac{3}{5}$ _____

7 $\dfrac{7}{10} \div \dfrac{2}{5}$ _____

8 $\dfrac{5}{8} \div \dfrac{4}{5}$ _____

9 $\dfrac{5}{6} \div \dfrac{3}{8}$ _____

10 $\dfrac{3}{4} \div \dfrac{7}{12}$ _____

11 $\dfrac{9}{14} \div \dfrac{4}{21}$ _____

12 $\dfrac{9}{16} \div \dfrac{5}{12}$ _____

6 (자연수)÷(분수) 알아보기

※ □ 안에 알맞은 수를 써넣으세요.

1 $6 \div \dfrac{3}{7} = (6 \div \boxed{}) \times \boxed{} = \boxed{}$

2 $10 \div \dfrac{5}{9} = (10 \div \boxed{}) \times \boxed{} = \boxed{}$

3 $15 \div \dfrac{3}{8} = (15 \div \boxed{}) \times \boxed{} = \boxed{}$

4 $8 \div \dfrac{2}{7} = (8 \div \boxed{}) \times \boxed{} = \boxed{}$

5 $9 \div \dfrac{3}{4} = (9 \div \boxed{}) \times \boxed{} = \boxed{}$

6 $12 \div \dfrac{4}{9} = (12 \div \boxed{}) \times \boxed{} = \boxed{}$

※ **보기** 와 같이 계산해 보세요.

> **보기**
>
> $$4 \div \dfrac{2}{3} = (4 \div 2) \times 3 = 6$$

7 $8 \div \dfrac{4}{9}$ _____

8 $12 \div \dfrac{6}{7}$ _____

9 $14 \div \dfrac{7}{11}$ _____

10 $16 \div \dfrac{2}{9}$ _____

11 $6 \div \dfrac{2}{5}$ _____

12 $20 \div \dfrac{5}{8}$ _____

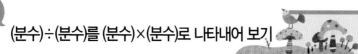
✱ □ 안에 알맞은 수를 써넣으세요.

1 $\dfrac{4}{5} \div \dfrac{3}{8} = \dfrac{4}{5} \times \dfrac{1}{\boxed{}} \times \boxed{}$

$= \dfrac{4}{5} \times \dfrac{\boxed{}}{\boxed{}} = \dfrac{\boxed{}}{\boxed{}} = \boxed{}$

2 $\dfrac{5}{9} \div \dfrac{4}{7} = \dfrac{5}{9} \times \dfrac{1}{\boxed{}} \times \boxed{}$

$= \dfrac{5}{9} \times \dfrac{\boxed{}}{\boxed{}} = \dfrac{\boxed{}}{\boxed{}}$

3 $\dfrac{3}{8} \div \dfrac{2}{3} = \dfrac{3}{8} \times \dfrac{1}{\boxed{}} \times \boxed{}$

$= \dfrac{3}{8} \times \dfrac{\boxed{}}{\boxed{}} = \dfrac{\boxed{}}{\boxed{}}$

4 $\dfrac{2}{7} \div \dfrac{5}{6} = \dfrac{2}{7} \times \dfrac{1}{\boxed{}} \times \boxed{}$

$= \dfrac{2}{7} \times \dfrac{\boxed{}}{\boxed{}} = \dfrac{\boxed{}}{\boxed{}}$

✱ 나눗셈식을 곱셈식으로 나타내어 계산해 보세요.

5 $\dfrac{3}{4} \div \dfrac{8}{9}$

6 $\dfrac{6}{7} \div \dfrac{2}{5}$

7 $\dfrac{4}{9} \div \dfrac{7}{12}$

8 $\dfrac{2}{3} \div \dfrac{4}{7}$

9 $\dfrac{7}{16} \div \dfrac{3}{4}$

10 $\dfrac{8}{15} \div \dfrac{4}{5}$

❋ 주어진 나눗셈식을 두 가지 방법으로 계산해 보세요.

1 $\dfrac{7}{4} \div \dfrac{3}{5}$

방법 1 _____

_____

방법 2 _____

_____

2 $\dfrac{9}{8} \div \dfrac{6}{7}$

방법 1 _____

_____

방법 2 _____

_____

3 $\dfrac{11}{6} \div \dfrac{2}{3}$

방법 1 _____

_____

방법 2 _____

_____

4 $3\dfrac{3}{4} \div \dfrac{5}{8}$

방법 1 _____

_____

방법 2 _____

_____

5 $1\dfrac{5}{6} \div \dfrac{7}{9}$

방법 1 _____

_____

방법 2 _____

_____

6 $2\dfrac{5}{8} \div \dfrac{3}{5}$

방법 1 _____

_____

방법 2 _____

_____

✳ 계산해 보세요.

1 $\dfrac{9}{5} \div \dfrac{3}{7}$

2 $\dfrac{12}{7} \div \dfrac{4}{9}$

3 $\dfrac{7}{3} \div \dfrac{2}{5}$

4 $\dfrac{11}{10} \div \dfrac{5}{8}$

5 $\dfrac{10}{9} \div \dfrac{5}{12}$

6 $\dfrac{14}{9} \div \dfrac{7}{8}$

7 $1\dfrac{2}{7} \div \dfrac{2}{3}$

8 $2\dfrac{2}{3} \div \dfrac{4}{5}$

9 $5\dfrac{1}{2} \div \dfrac{3}{4}$

10 $1\dfrac{5}{9} \div \dfrac{7}{15}$

11 $2\dfrac{2}{5} \div \dfrac{3}{8}$

12 $3\dfrac{1}{3} \div \dfrac{5}{7}$

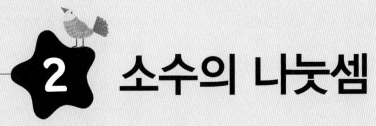

2 소수의 나눗셈

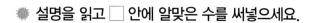

🌼 설명을 읽고 ☐ 안에 알맞은 수를 써넣으세요.

1 철사 23.2 cm를 0.4 cm씩 자르려고 합니다.

23.2 cm = ☐ mm,

0.4 cm = ☐ mm입니다.

철사 23.2 cm를 0.4 cm씩 자르는 것은 철사

☐ mm를 4 mm씩 자르는 것과 같습니다.

➡ $23.2 \div 0.4 =$ ☐ $\div 4$

☐ $\div 4 =$ ☐

$23.2 \div 0.4 =$ ☐

2 끈 5.16 m를 0.06 m씩 자르려고 합니다.

5.16 m = ☐ cm,

0.06 m = ☐ cm입니다.

끈 5.16 m를 0.06 m씩 자르는 것은

끈 ☐ cm를 6 cm씩 자르는 것과 같습니다.

➡ $5.16 \div 0.06 =$ ☐ $\div 6$

☐ $\div 6 =$ ☐

$5.16 \div 0.06 =$ ☐

🌼 소수의 나눗셈을 자연수의 나눗셈을 이용하여 계산해 보세요.

3 $53.6 \div 0.8$

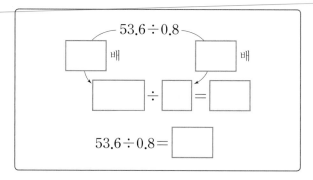

4 $4.41 \div 0.09$

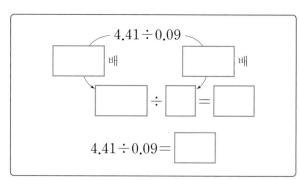

5 $6.45 \div 0.15$

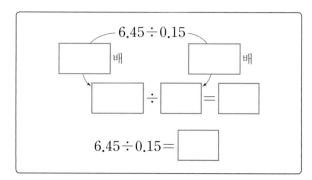

❋ 보기 와 같이 분수의 나눗셈으로 계산해 보세요.

보기

$$2.4 \div 0.8 = \frac{24}{10} \div \frac{8}{10} = 24 \div 8 = 3$$

$$3.23 \div 0.17 = \frac{323}{100} \div \frac{17}{100} = 323 \div 17 = 19$$

1 $7.6 \div 0.4$ _____

2 $8.4 \div 0.6$ _____

3 $5.95 \div 0.35$ _____

4 $2.43 \div 0.27$ _____

5 $6.38 \div 0.58$ _____

❋ ☐ 안에 알맞은 수를 써넣으세요.

6 $9.1 \div 0.7 = 91 \div \boxed{} = \boxed{}$

7 $16.2 \div 0.9 = 162 \div \boxed{} = \boxed{}$

8 $28.8 \div 3.6 = \boxed{} \div 36 = \boxed{}$

9 $6.97 \div 0.41 = 697 \div \boxed{} = \boxed{}$

10 $3.92 \div 0.28 = 392 \div \boxed{} = \boxed{}$

11 $8.88 \div 0.74 = \boxed{} \div 74 = \boxed{}$

✷ 계산해 보세요.

1　$4.8 \div 0.6$

2　$9.6 \div 0.8$

3　$28.8 \div 3.2$

4　$37.1 \div 5.3$

5　$4.32 \div 0.24$

6　$7.99 \div 0.47$

7　$7.41 \div 0.39$

8　$6.54 \div 1.09$

9　$0.5 \overline{)9.5}$

10　$2.8 \overline{)44.8}$

11　$0.17 \overline{)3.91}$

12　$0.64 \overline{)8.96}$

13　$0.52 \overline{)6.76}$

❋ 나눗셈을 두 가지 방법으로 계산하려고 합니다. ☐ 안에 알맞은 수를 써넣으세요.

1

9.86÷2.9는 9.86과 2.9를 100배씩 하여 계산하면 ☐ ÷ ☐ = ☐ 입니다.

9.86÷2.9는 9.86과 2.9를 10배씩 하여 계산하면 ☐ ÷ ☐ = ☐ 입니다.

2

5.44÷3.4는 5.44와 3.4를 100배씩 하여 계산하면 ☐ ÷ ☐ = ☐ 입니다.

5.44÷3.4는 5.44와 3.4를 10배씩 하여 계산하면 ☐ ÷ ☐ = ☐ 입니다.

3

8.93÷4.7은 8.93과 4.7을 100배씩 하여 계산하면

☐ ÷ ☐ = ☐ 입니다.

8.93÷4.7은 8.93과 4.7을 10배씩 하여 계산하면

☐ ÷ ☐ = ☐ 입니다.

❋ 계산해 보세요.

4 $0.8\overline{)1.36}$

5 $2.3\overline{)5.52}$

6 $5.8\overline{)9.28}$

7 $7.1\overline{)8.52}$

8 $4.6\overline{)6.44}$

🌸 잘못 계산한 곳을 찾아 바르게 계산해 보세요.

1

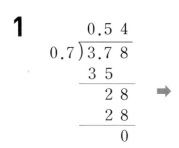

```
        0.5 4
  0.7 ) 3.7 8
        3 5
          2 8
          2 8
            0
```

➡

2

```
        0.6 9
  0.4 ) 2.7 6
        2 4
          3 6
          3 6
            0
```

➡

3

```
        0.4 6
  1.7 ) 7.8 2
        6 8
        1 0 2
        1 0 2
            0
```

➡

4

```
        0.3 5
  2.3 ) 8.0 5
        6 9
        1 1 5
        1 1 5
            0
```

➡

🌸 빈칸에 알맞은 수를 써넣으세요.

5

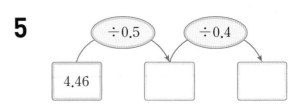

÷0.5 ÷0.4

4.46

6

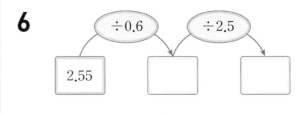

÷0.6 ÷2.5

2.55

7

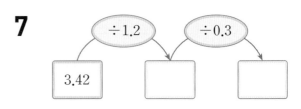

÷1.2 ÷0.3

3.42

8

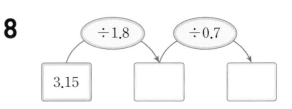

÷1.8 ÷0.7

3.15

9

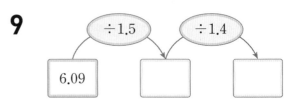

÷1.5 ÷1.4

6.09

❋ 보기 와 같이 분수의 나눗셈으로 계산해 보세요.

보기

$$48 \div 1.6 = \frac{480}{10} \div \frac{16}{10} = 480 \div 16 = 30$$

1 $54 \div 0.6$

2 $42 \div 2.8$

3 $9 \div 0.15$

4 $8 \div 1.25$

5 $6 \div 0.24$

❋ ☐ 안에 알맞은 수를 써넣으세요.

6
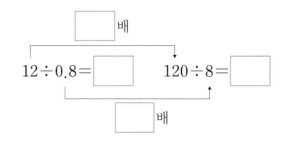

$12 \div 0.8 = \square$ $120 \div 8 = \square$

7
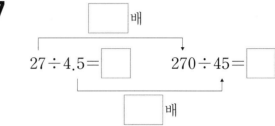

$27 \div 4.5 = \square$ $270 \div 45 = \square$

8
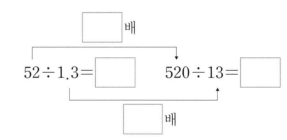

$52 \div 1.3 = \square$ $520 \div 13 = \square$

9
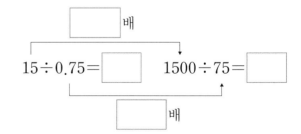

$15 \div 0.75 = \square$ $1500 \div 75 = \square$

10
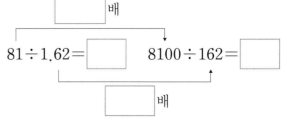

$81 \div 1.62 = \square$ $8100 \div 162 = \square$

⬥ 계산해 보세요.

1 $0.4\overline{)12}$

2 $2.6\overline{)39}$

3 $0.25\overline{)6}$

4 $1.75\overline{)21}$

5 $2.48\overline{)62}$

⬥ ☐ 안에 알맞은 수를 써넣으세요.

6
$56 \div 7 = \boxed{}$

$56 \div 0.7 = \boxed{}$

$56 \div 0.07 = \boxed{}$

7
$85 \div 5 = \boxed{}$

$85 \div 0.5 = \boxed{}$

$85 \div 0.05 = \boxed{}$

8
$2.34 \div 0.09 = \boxed{}$

$23.4 \div 0.09 = \boxed{}$

$234 \div 0.09 = \boxed{}$

9
$3.52 \div 0.08 = \boxed{}$

$35.2 \div 0.08 = \boxed{}$

$352 \div 0.08 = \boxed{}$

❋ 몫을 반올림하여 자연수로 나타내어 보세요.

1 $7 \overline{)13}$

(   )

2 $6 \overline{)5}$

(   )

3 $3 \overline{)8}$

(   )

4 $9 \overline{)28.7}$

(   )

5 $0.3 \overline{)4.3}$

(   )

❋ 몫을 반올림하여 소수 첫째 자리까지 나타내어 보세요.

6 $3 \overline{)10}$

(   )

7 $6 \overline{)3.7}$

(   )

8 $11 \overline{)81}$

(   )

9 $0.7 \overline{)2.5}$

(   )

10 $0.6 \overline{)7.7}$

(   )

※ 몫을 반올림하여 소수 둘째 자리까지 나타내어 보세요.

1 $7 \overline{)9}$

(   )

2 $6 \overline{)55}$

(   )

3 $13 \overline{)16}$

(   )

4 $0.9 \overline{)6.4}$

(   )

5 $0.7 \overline{)8.6}$

(   )

※ 몫을 반올림하여 주어진 자리까지 나타내어 보세요.

6

$14 \div 9$

일의 자리 (   )
소수 첫째 자리 (   )
소수 둘째 자리 (   )

7

$48 \div 7$

일의 자리 (   )
소수 첫째 자리 (   )
소수 둘째 자리 (   )

8

$29 \div 17$

일의 자리 (   )
소수 첫째 자리 (   )
소수 둘째 자리 (   )

9

$8.3 \div 0.6$

일의 자리 (   )
소수 첫째 자리 (   )
소수 둘째 자리 (   )

10

$9.4 \div 0.3$

일의 자리 (   )
소수 첫째 자리 (   )
소수 둘째 자리 (   )

※ 물음에 답하세요.

1 소금 16.8 kg을 한 봉지에 3 kg씩 나누어 담으려고 합니다. 나누어 담을 수 있는 봉지 수와 남는 소금의 양을 알아보기 위해 다음과 같이 계산했습니다. □ 안에 알맞은 수를 써넣으세요.

16.8−3−3−3−3−3=□

나누어 담을수 있는 봉지 수: □ 봉지

남는 소금의 양: □ kg

2 철사 39.9 m를 한 사람에 7 m씩 나누어 주려고 합니다. 나누어 줄 수 있는 사람 수와 남는 철사의 길이를 알아보기 위해 다음과 같이 계산했습니다. □ 안에 알맞은 수를 써넣으세요.

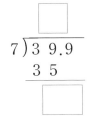

나누어 줄 수 있는 사람 수: □ 명

남는 철사의 길이: □ m

3 페인트 14.4 L를 한 사람에 2 L씩 나누어 주려고 합니다. 나누어 줄 수 있는 사람 수와 남는 페인트의 양은 몇 L인지 구해 보세요.

나누어 줄 수 있는 사람 수 (   )
남는 페인트의 양 (   )

4 리본 3 m로 상자 하나를 묶을 수 있습니다. 리본 15.3 m로 똑같은 모양의 상자를 몇 상자까지 묶을 수 있고 남는 리본은 몇 m인지 구해 보세요.

묶을 수 있는 상자 수 (   )
남는 리본의 길이 (   )

5 주스 2 L를 한 개의 컵에 0.3 L씩 나누어 담으려고 합니다. 주스를 몇 개의 컵에 나누어 담을 수 있고 남는 주스는 몇 L인지 구해 보세요.

나누어 담을 수 있는 컵의 수 (   )
남는 주스의 양 (   )

6 금 9 g으로 반지 하나를 만들 수 있습니다. 금 75.6 g으로 똑같은 모양의 반지를 몇 개까지 만들 수 있고 남는 금은 몇 g인지 구해 보세요.

만들 수 있는 반지 수 (   )
남는 금의 양 (   )

❋ **물음에 답하세요.**

1 물 41.5 L를 한 사람당 5 L씩 나누어 줄 때 나누어 줄 수 있는 사람 수와 남는 물은 몇 L인지 알기 위해 다음과 같이 계산했습니다. <u>잘못</u> 계산한 곳을 찾아 바르게 계산해 보세요.

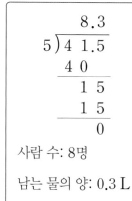

```
        8.3
   5 ) 4 1.5
       4 0
         1 5
         1 5
           0
```
사람 수: 8명
남는 물의 양: 0.3 L

```
   5 ) 4 1.5
```
사람 수: ☐ 명
남는 물의 양: ☐ L

2 끈 47.4 m를 한 사람에 6 m씩 나누어 주려고 합니다. 나누어 줄 수 있는 사람 수와 남는 끈은 몇 m인지 알기 위해 다음과 같이 계산했습니다. <u>잘못</u> 계산한 곳을 찾아 바르게 계산해 보세요.

```
        7.9
   6 ) 4 7.4
       4 2
         5 4
         5 4
           0
```
사람 수: 7명
남는 끈의 길이: 0.9 m

```
   6 ) 4 7.4
```
사람 수: ☐ 명
남는 끈의 길이: ☐ m

3 귤 18.3 kg을 한 봉지에 3 kg씩 나누어 담으려고 합니다. 나누어 담을 수 있는 봉지 수와 남는 귤은 몇 kg인지 알기 위해 다음과 같이 계산했습니다. <u>잘못</u> 계산한 곳을 찾아 바르게 계산해 보세요.

```
          6
   3 ) 1 8.3
       1 8
           3
```
봉지 수: 6봉지
남는 귤의 양: 3 kg

```
   3 ) 1 8.3
```
봉지 수: ☐ 봉지
남는 귤의 양: ☐ kg

4 빵 한 개를 만드는 데 설탕 9 g이 필요합니다. 설탕 45.2 g으로 만들 수 있는 빵 수와 남는 설탕은 몇 g인지 알기 위해 다음과 같이 계산했습니다. <u>잘못</u> 계산한 곳을 찾아 바르게 계산해 보세요.

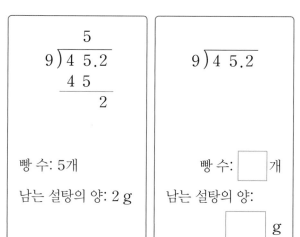

```
          5
   9 ) 4 5.2
       4 5
           2
```
빵 수: 5개
남는 설탕의 양: 2 g

```
   9 ) 4 5.2
```
빵 수: ☐ 개
남는 설탕의 양: ☐ g

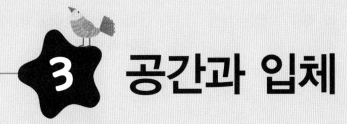

3 공간과 입체

어느 방향에서 보았는지 알아보기

※ 보기 와 같이 물건을 놓았을 때 찍을 수 없는 사진을 찾아 기호를 써 보세요.

1

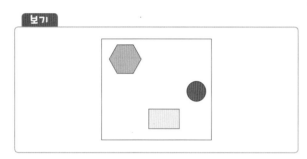

⊙ 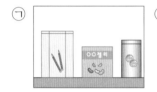   ⓛ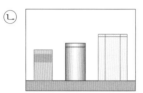

ⓒ 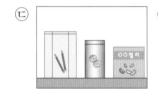   ⓔ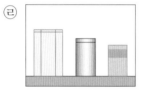

( )

2

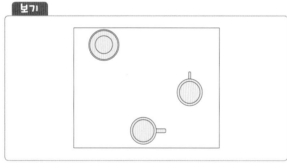

⊙ 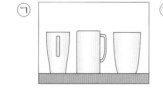   ⓛ

ⓒ    ⓔ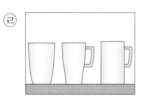

( )

※ ㉠과 ㉡ 사진은 어느 방향에서 찍은 것인지 보기 에서 찾아 써 보세요.

3

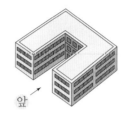

앞

보기

위
앞
오른쪽

㉠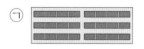

( )

㉡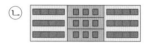

( )

4

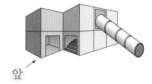

앞

보기

위
앞
오른쪽

㉠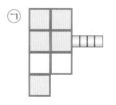

( )

㉡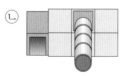

( )

❋ 쌓은 모양을 보고 위에서 본 모양을 그렸습니다. 관계있는 것끼리 이어 보세요.

1

(1) 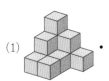 •

(2) •

(3) 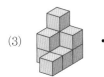 •

• ㉠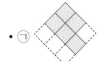

• ㉡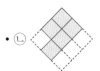

• ㉢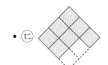

2

(1) •

(2) 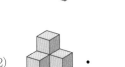 •

(3) 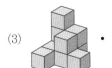 •

• ㉠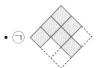

• ㉡

• ㉢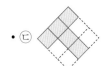

❋ 주어진 모양과 똑같이 쌓는 데 필요한 쌓기나무의 개수를 구해 보세요.

3

위에서 본 모양

( )

4

위에서 본 모양

( )

5

위에서 본 모양

( )

6

위에서 본 모양

( )

✳ 쌓기나무로 쌓은 모양과 위에서 본 모양입니다. 앞 과 옆에서 본 모양을 각각 그려 보세요.

1

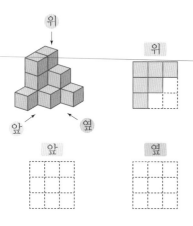

2

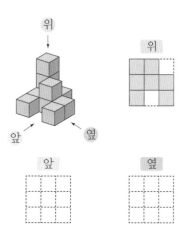

3

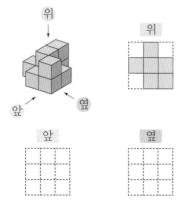

4

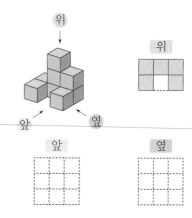

5

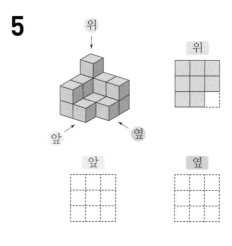

6

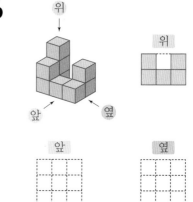

※ 쌓기나무로 쌓은 모양을 위, 앞, 옆에서 본 모양입니다. 똑같은 모양으로 쌓는 데 필요한 쌓기나무의 개수를 구해 보세요.

1

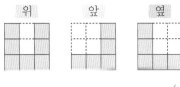

(   )

2

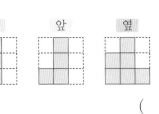

(   )

3

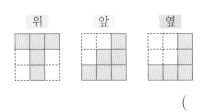

(   )

4

(   )

※ 쌓기나무 7개로 쌓은 모양을 위와 앞에서 본 모양입니다. 옆에서 본 모양을 그려 보세요.

5

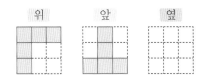

6

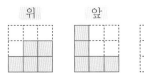

7

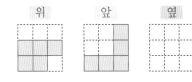

8

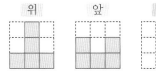

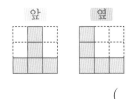

🌸 쌓기나무로 쌓은 모양을 보고 위에서 본 모양에 수를 써 보세요.

1

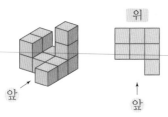

2

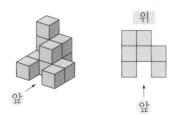

3

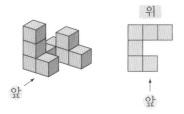

4

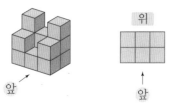

🌸 쌓기나무로 쌓은 모양을 보고 위에서 본 모양에 수를 썼습니다. 앞과 옆에서 본 모양을 각각 그려 보세요.

5

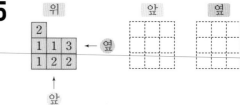

6

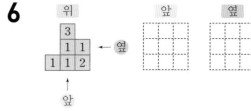

7

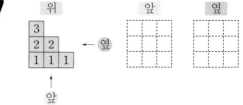

8

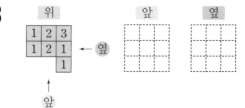

※ 쌓기나무로 쌓은 모양과 1층 모양을 보고 2층 모양과 3층 모양을 각각 그려 보세요.

1

앞

1층

앞

2층
앞

3층
앞

2

앞

1층

앞

2층
앞

3층
앞

3

앞

1층

앞

2층
앞

3층
앞

※ 쌓기나무로 쌓은 모양을 층별로 나타낸 모양입니다. 위에서 본 모양에 수를 쓰는 방법으로 나타내고, 똑같은 모양을 쌓는 데 필요한 쌓기나무의 개수를 구해 보세요.

4

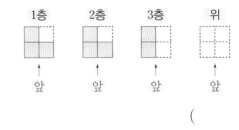

1층 · 2층 · 3층 · 위
앞 · 앞 · 앞 · 앞

(   )

5

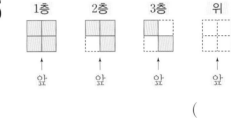

1층 · 2층 · 3층 · 위
앞 · 앞 · 앞 · 앞

(   )

6

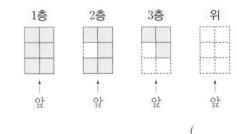

1층 · 2층 · 3층 · 위
앞 · 앞 · 앞 · 앞

(   )

7

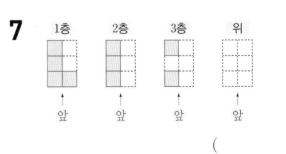

1층 · 2층 · 3층 · 위
앞 · 앞 · 앞 · 앞

(   )

❋ 주어진 모양에 쌓기나무 1개를 붙여서 만들 수 있는 모양이 <u>아닌</u> 것을 찾아 기호를 써 보세요.

1

가   나   다

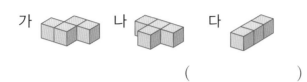

(   )

2

가   나   다

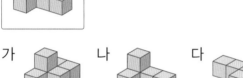

(   )

3

가   나   다

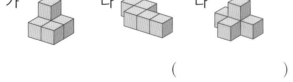

(   )

❋ 가, 나, 다 모양 중에서 두 가지 모양을 사용하여 새로운 모양을 만들었습니다. 사용한 두 가지 모양을 찾아 기호를 써 보세요.

4

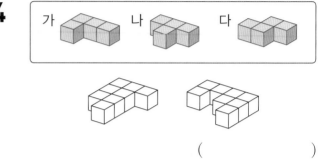

(   )

5

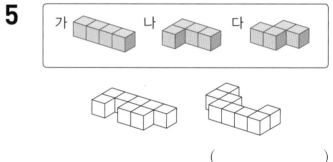

(   )

6

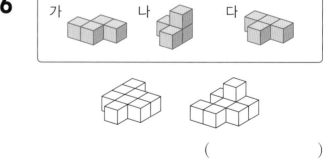

(   )

4 비례식과 비례배분

✹ 비의 성질을 이용하여 비율이 같은 비를 찾아 이어 보세요.

1

3 : 4 ·　　　· 11 : 13

7 : 2 ·　　　· 35 : 10

22 : 26 ·　　　· 9 : 12

2

15 : 35 ·　　　· 210 : 510

6 : 5 ·　　　· 3 : 7

7 : 17 ·　　　· 24 : 20

3

33 : 21 ·　　　· 45 : 81

5 : 9 ·　　　· 11 : 7

26 : 39 ·　　　· 2 : 3

4

12 : 14 ·　　　· 28 : 49

4 : 7 ·　　　· 360 : 80

9 : 2 ·　　　· 6 : 7

✹ 비의 성질을 이용하여 비율이 같은 비를 2개씩 써 보세요.

5

20 : 60

➡ _____

6

10 : 14

➡ _____

7

50 : 30

➡ _____

8

90 : 60

➡ _____

9

36 : 28

➡ _____

10

18 : 33

➡ _____

2 간단한 자연수의 비로 나타내어 보기(1)

❄ □ 안에 알맞은 수를 써넣어 간단한 자연수의 비로 나타내어 보세요.

1

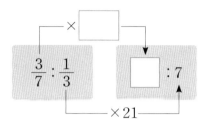

$\frac{3}{7} : \frac{1}{3}$ ×21 → □ : 7 (×□)

2

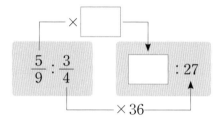

$\frac{5}{9} : \frac{3}{4}$ ×36 → □ : 27 (×□)

3

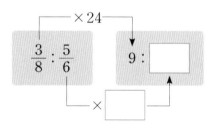

$\frac{3}{8} : \frac{5}{6}$ ×24 → 9 : □ (×□)

4

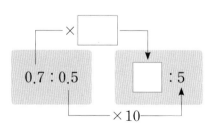

0.7 : 0.5 ×10 → □ : 5 (×□)

5

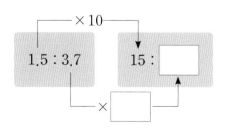

1.5 : 3.7 ×10 → 15 : □ (×□)

6

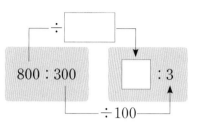

800 : 300 ÷100 → □ : 3 (÷□)

7

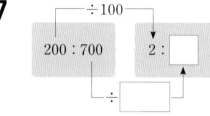

200 : 700 ÷100 → 2 : □ (÷□)

8

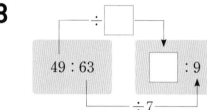

49 : 63 ÷7 → □ : 9 (÷□)

9

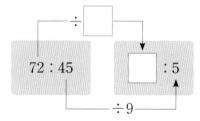

72 : 45 ÷9 → □ : 5 (÷□)

10

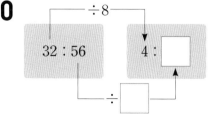

32 : 56 ÷8 → 4 : □ (÷□)

✳ 간단한 자연수의 비로 나타내어 보세요.

1 $0.5 : 2.3$ ➡ (   )

2 $1.2 : 0.7$ ➡ (   )

3 $1.03 : 0.81$ ➡ (   )

4 $49 : 14$ ➡ (   )

5 $52 : 68$ ➡ (   )

6 $\dfrac{2}{5} : \dfrac{3}{7}$ ➡ (   )

7 $\dfrac{5}{6} : \dfrac{2}{9}$ ➡ (   )

8 $\dfrac{1}{3} : 1\dfrac{2}{5}$ ➡ (   )

✳ 분수와 소수의 비를 보기 와 같이 간단한 자연수의 비로 나타내어 보세요.

> **보기**
>
> 방법1 $2\dfrac{1}{2} : 0.7$ ➡ $2.5 : 0.7$ ➡ $25 : 7$
>
> 방법2 $2\dfrac{1}{2} : 0.7$ ➡ $\dfrac{5}{2} : \dfrac{7}{10}$ ➡ $25 : 7$

9 $\dfrac{1}{5} : 0.9$

방법1 _____

_____

방법2 _____

_____

10 $0.38 : \dfrac{3}{20}$

방법1 _____

_____

방법2 _____

_____

11 $2.3 : 1\dfrac{1}{2}$

방법1 _____

_____

방법2 _____

_____

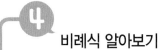

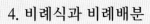

● 비례식에서 외항과 내항을 찾아 써 보세요.

1

$2 : 7 = 8 : 28$

외항 (   )
내항 (   )

2

$9 : 4 = 45 : 20$

외항 (   )
내항 (   )

3

$1 : 8 = 9 : 72$

외항 (   )
내항 (   )

4

$6 : 4 = 12 : 8$

외항 (   )
내항 (   )

5

$6 : 14 = 18 : 42$

외항 (   )
내항 (   )

● 비율이 같은 두 비를 찾아 비례식을 세워 보세요.

6

$3 : 7 \quad 25 : 45 \quad 15 : 35 \quad 18 : 43$

☐ : ☐ = ☐ : ☐

7

$25 : 40 \quad 6 : 11 \quad 24 : 36 \quad 5 : 8$

☐ : ☐ = ☐ : ☐

8

$8 : 10 \quad 12 : 16 \quad 4 : 3 \quad 24 : 32$

☐ : ☐ = ☐ : ☐

9

$\dfrac{1}{5} : \dfrac{1}{4} \quad 5 : 4 \quad 18 : 14 \quad 2.8 : 3.5$

☐ : ☐ = ☐ : ☐

10

$6 : 10 \quad \dfrac{1}{3} : \dfrac{1}{5} \quad 0.9 : 1.5 \quad 9 : 8$

☐ : ☐ = ☐ : ☐

◈ 비례식을 모두 찾아 기호를 써 보세요.

1

> ㉠ $9 : 15 = 3 : 5$ ㉡ $\dfrac{1}{3} : \dfrac{1}{4} = 8 : 7$
>
> ㉢ $6 : 2 = 18 : 12$ ㉣ $0.4 : 0.9 = 8 : 18$

(   )

2

> ㉠ $10 : 35 = 4 : 7$ ㉡ $0.9 : 0.4 = 18 : 8$
>
> ㉢ $3 : 8 = \dfrac{1}{8} : \dfrac{1}{3}$ ㉣ $2 : 11 = 8 : 46$

(   )

3

> ㉠ $150 : 15 = \dfrac{1}{15} : 1$ ㉡ $5 : 9 = 35 : 63$
>
> ㉢ $\dfrac{1}{2} : \dfrac{1}{5} = 2 : 5$ ㉣ $56 : 24 = 7 : 3$

(   )

4

> ㉠ $0.2 : 0.7 = 6 : 21$ ㉡ $\dfrac{2}{7} : \dfrac{2}{3} = 9 : 16$
>
> ㉢ $45 : 65 = 9 : 13$ ㉣ $3 : 11 = 6 : 23$

(   )

5

> ㉠ $35 : 56 = 7 : 8$ ㉡ $13 : 15 = 30 : 26$
>
> ㉢ $21 : \dfrac{3}{10} = 210 : 3$ ㉣ $0.7 : 1.4 = 1 : 2$

(   )

◈ 비례식의 성질을 이용하여 ■를 구하려고 합니다. □ 안에 알맞은 수를 써넣으세요.

6 $3 : 7 = 9 : ■$

$3 \times ■ = 7 \times \boxed{}$

$3 \times ■ = \boxed{}$

$■ = \boxed{}$

7 $4 : 9 = 12 : ■$

$4 \times ■ = 9 \times \boxed{}$

$4 \times ■ = \boxed{}$

$■ = \boxed{}$

8 $7 : 13 = ■ : 26$

$7 \times \boxed{} = 13 \times ■$

$13 \times ■ = \boxed{}$

$■ = \boxed{}$

9 $55 : 30 = ■ : 6$

$55 \times \boxed{} = 30 \times ■$

$30 \times ■ = \boxed{}$

$■ = \boxed{}$

※ 비례식의 성질을 이용하여 □ 안에 알맞은 수를 써 넣으세요.

1 $20 : 12 = 5 : \boxed{}$

2 $4 : 18 = 2 : \boxed{}$

3 $3 : 5 = 12 : \boxed{}$

4 $14 : 18 = 21 : \boxed{}$

5 $9 : 4 = \boxed{} : 8$

6 $8 : 7 = \boxed{} : 49$

7 $15 : 10 = \boxed{} : 12$

8 $15 : \boxed{} = 30 : 8$

9 $7 : \boxed{} = 28 : 12$

10 $6 : \boxed{} = 36 : 66$

11 $2 : \boxed{} = 10 : 35$

12 $\boxed{} : 70 = 9 : 14$

13 $\boxed{} : 45 = 6 : 15$

14 $\boxed{} : 5 = 48 : 40$

✳ 물음에 답하세요.

1 어머니께서 딸기와 설탕을 4 : 3으로 넣어서 딸기잼을 만들려고 합니다. 딸기를 800 g 넣었다면 설탕은 몇 g을 넣어야 하는지 구해 보세요.

( )

2 서원이네 학교의 선생님 수와 학생 수의 비는 3 : 21입니다. 서원이네 학교의 선생님이 45명이라면 학생은 몇 명인지 구해 보세요.

( )

3 가 건물과 나 건물의 높이의 비는 7 : 9입니다. 나 건물의 높이가 36 m라면 가 건물의 높이는 몇 m인지 구해 보세요.

( )

4 가로와 세로의 비가 8 : 3인 직사각형이 있습니다. 이 직사각형의 세로가 21 cm일 때 가로는 몇 cm인지 구해 보세요.

( )

5 1500 mL 주스 2통이 5600원일 때 주스 6통을 사려면 얼마가 필요한지 구해 보세요.

( )

6 어떤 자동차는 휘발유 3 L로 51 km를 갈 수 있습니다. 255 km를 가려면 휘발유는 몇 L 필요한지 구해 보세요.

( )

7 바닷물 4 L를 증발시켜 90 g의 소금을 얻었습니다. 바닷물 16 L를 증발시키면 몇 g의 소금을 얻을 수 있는지 구해 보세요.

( )

8 맞물려 돌아가는 두 톱니바퀴 ㉮와 ㉯가 있습니다. 톱니바퀴 ㉮가 4바퀴 도는 동안 톱니바퀴 ㉯는 9바퀴 돕니다. 톱니바퀴 ㉮가 32바퀴 도는 동안 톱니바퀴 ㉯는 몇 바퀴 도는지 구해 보세요.

( )

❋ ▦ 안의 수를 주어진 비로 비례배분하려고 합니다. □ 안에 알맞은 수를 써넣으세요.

1   14   3 : 4

$$14 \times \frac{3}{3+\boxed{}} = 14 \times \frac{\boxed{}}{\boxed{}} = \boxed{}$$

$$14 \times \frac{4}{3+\boxed{}} = 14 \times \frac{\boxed{}}{\boxed{}} = \boxed{}$$

2   36   7 : 2

$$36 \times \frac{7}{7+\boxed{}} = 36 \times \frac{\boxed{}}{\boxed{}} = \boxed{}$$

$$36 \times \frac{2}{7+\boxed{}} = 36 \times \frac{\boxed{}}{\boxed{}} = \boxed{}$$

3   80   7 : 9

$$80 \times \frac{7}{7+\boxed{}} = 80 \times \frac{\boxed{}}{\boxed{}} = \boxed{}$$

$$80 \times \frac{9}{7+\boxed{}} = 80 \times \frac{\boxed{}}{\boxed{}} = \boxed{}$$

❋ ▦ 안의 수를 주어진 비로 비례배분하여 [,] 안에 써 보세요.

4   24   1 : 3 ➡ [,   ]

5   96   5 : 11 ➡ [,   ]

6   48   3 : 5 ➡ [,   ]

7   52   9 : 4 ➡ [,   ]

8   66   8 : 3 ➡ [,   ]

9   72   4 : 5 ➡ [,   ]

10   140   5 : 2 ➡ [,   ]

1 6000원을 윤서와 오빠에게 1 : 3으로 나누어 줄 때 두 사람이 각각 갖게 되는 용돈을 구해 보세요.

윤서 (   )

오빠 (   )

2 공책 80권을 1반과 2반에 3 : 5로 나누어 주려고 합니다. 1반과 2반에 각각 몇 권씩 나누어 주어야 할지 구해 보세요.

1반 (   )

2반 (   )

3 연필 48자루를 지원이와 현성이가 9 : 7로 나누어 가지려고 합니다. 지원이와 현성이는 각각 몇 자루씩 가질 수 있는지 구해 보세요.

지원 (   )

현성 (   )

4 길이가 77 cm인 끈을 3 : 4로 나누었습니다. 긴 끈과 짧은 끈의 길이는 각각 몇 cm인지 구해 보세요.

긴 끈 (   )

짧은 끈 (   )

5 빵을 만들기 위해 밀가루와 설탕을 섞은 무게는 900 g입니다. 밀가루와 설탕의 무게의 비가 8 : 7이라면 밀가루와 설탕은 각각 몇 g 섞었는지 구해 보세요.

밀가루 (   )

설탕 (   )

6 찰흙 18 kg을 모둠 학생 수에 따라 나누어 주려고 합니다. 1모둠이 4명, 2모둠이 5명이라면 각 모둠에 찰흙을 몇 kg씩 나누어 주어야 할지 구해 보세요.

1모둠 (   )

2모둠 (   )

7 주말농장에서 캔 감자 168개를 가족 수에 따라 나누어 주려고 합니다. 선호네 가족은 7명, 지우네 가족은 5명이라면 감자를 각각 몇 개씩 나누어 주어야 할지 구해 보세요.

선호네 가족 (   )

지우네 가족 (   )

8 가로와 세로의 비가 4 : 3이고 둘레가 84 cm인 직사각형이 있습니다. 직사각형의 가로와 세로는 각각 몇 cm인지 구해 보세요.

가로 (   )

세로 (   )

5 원의 넓이

🌸 그림을 보고 설명이 맞으면 ○표, 틀리면 ×표 하세요.

1 원의 지름이 길어져도 원주는 변하지 않습니다.

( )

2 원주는 지름보다 길이가 짧습니다.

( )

3 원의 중심을 지나는 선분 ㄱㄴ은 원의 지름입니다.

( )

4 원주는 지름의 3배보다 길고 지름의 4배보다 짧습니다.

( )

5 원의 지름은 원주의 2배입니다.

( )

🌸 주어진 원의 원주와 가장 비슷한 길이를 찾아 기호를 써 보세요.

6
| 지름이 2 cm인 원 |

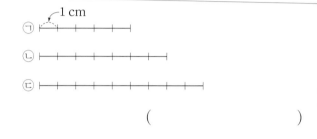

( )

7
| 지름이 3 cm인 원 |

( )

8
| 지름이 4 cm인 원 |

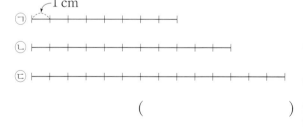

( )

🌸 여러 가지 원 모양이 들어 있는 물건이 있습니다. (원주)÷(지름)을 반올림하여 주어진 자리까지 나타내어 보세요.

🌸 여러 가지 원 모양이 들어 있는 물건이 있습니다. 원주율을 반올림하여 주어진 자리까지 나타내어 보세요.

1

원주: 55.9 cm
지름: 18 cm

반올림하여 자연수로	반올림하여 소수 첫째 자리까지

4

원주: 62.83 cm
지름: 20 cm

반올림하여 자연수로	반올림하여 소수 첫째 자리까지

2

원주: 188.1 cm
지름: 60 cm

반올림하여 소수 첫째 자리까지	반올림하여 소수 둘째 자리까지

5

원주: 213.5 cm
지름: 68 cm

반올림하여 소수 첫째 자리까지	반올림하여 소수 둘째 자리까지

3

원주: 75.3 mm
지름: 24 mm

반올림하여 소수 첫째 자리까지	반올림하여 소수 둘째 자리까지

6

원주: 113.1 cm
지름: 36 cm

반올림하여 소수 첫째 자리까지	반올림하여 소수 둘째 자리까지

🌸 원주를 구해 보세요. (원주율: 3.14)

🌸 다음과 같이 원주가 주어졌을 때 □ 안에 알맞은 수를 써넣으세요. (원주율: 3.1)

1

6 cm

(   )

2

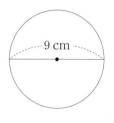

9 cm

(   )

3

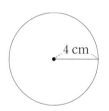

4 cm

(   )

4

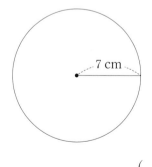

7 cm

(   )

5

원주: 24.8 cm

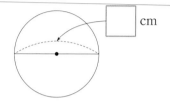

cm

6

원주: 34.1 cm

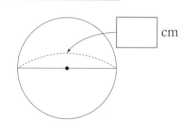

cm

7

원주: 55.8 cm

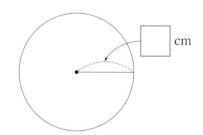

cm

8

원주: 37.2 cm

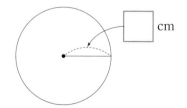

cm

❋ 물음에 답하세요.

1 지름이 19 cm인 원 모양의 접시가 있습니다. 이 접시의 둘레는 몇 cm인지 구해 보세요.

(원주율: 3.1)

(   )

2 준혁이는 컴퍼스의 침과 연필심 사이의 길이를 8 cm만큼 벌려서 원을 그렸습니다. 준혁이가 그린 원의 원주는 몇 cm인지 구해 보세요.

(원주율: 3.14)

(   )

3 형준이는 지름이 25 m인 원 모양의 공원의 둘레를 한 바퀴 달렸습니다. 형준이가 달린 거리는 몇 m인지 구해 보세요. (원주율: 3.1)

(   )

4 길이가 47.1 cm인 종이 띠를 겹치지 않게 붙여서 원을 만들었습니다. 만들어진 원의 지름은 몇 cm인지 구해 보세요. (원주율: 3.14)

(   )

5 원 모양의 거울의 원주가 65.1 cm일 때 거울의 지름은 몇 cm인지 구해 보세요. (원주율: 3.1)

(   )

6 원주가 72 cm인 원 모양의 피자를 밑면이 정사각형 모양인 직육면체 모양의 상자에 담으려고 합니다. 상자의 밑면의 한 변의 길이는 적어도 몇 cm이어야 하는지 구해 보세요.

(원주율: 3)

(   )

7 지우는 지름이 75 cm인 굴렁쇠를 3바퀴 굴렸습니다. 굴렁쇠가 굴러간 거리는 몇 cm인지 구해 보세요.

(원주율: 3.1)

(   )

8 지름이 30 cm인 원 모양의 바퀴 자를 사용하여 집에서 공원까지의 거리를 알아보려고 합니다. 바퀴가 200바퀴 돌았다면 집에서 공원까지의 거리는 몇 cm인지 구해 보세요. (원주율: 3.14)

(   )

◈ 정사각형의 넓이를 이용하여 원의 넓이를 어림하려고 합니다. ☐ 안에 알맞은 수를 써넣으세요.

◈ 모눈종이를 이용하여 원의 넓이를 어림하려고 합니다. ☐ 안에 알맞은 수를 써넣으세요.

1

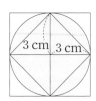

• 원 안의 정사각형의 넓이: ☐ cm²

• 원 밖의 정사각형의 넓이: ☐ cm²

• ☐ cm²<(원의 넓이)

　　(원의 넓이)< ☐ cm²

2

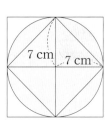

• 원 안의 정사각형의 넓이: ☐ cm²

• 원 밖의 정사각형의 넓이: ☐ cm²

• ☐ cm²<(원의 넓이)

　　(원의 넓이)< ☐ cm²

3

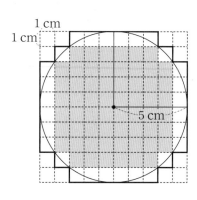

• 원 안의 색칠한 모눈의 수: ☐ 칸

• 원 밖의 굵은 선 안의 모눈의 수: ☐ 칸

• ☐ cm²<(원의 넓이)

　　(원의 넓이)< ☐ cm²

4

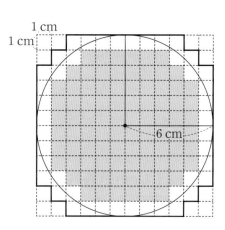

• 원 안의 색칠한 모눈의 수: ☐ 칸

• 원 밖의 굵은 선 안의 모눈의 수: ☐ 칸

• ☐ cm²<(원의 넓이)

　　(원의 넓이)< ☐ cm²

❋ 원을 한없이 잘게 잘라 이어 붙여서 점점 직사각형에 가까워지는 도형을 만들었습니다. ☐ 안에 알맞은 수를 써넣으세요. (원주율: 3.1)

1 반지름이 4 cm인 원

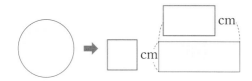

2 반지름이 5 cm인 원

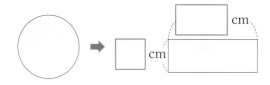

3 반지름이 7 cm인 원

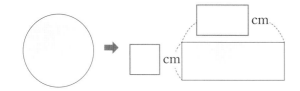

4 반지름이 9 cm인 원

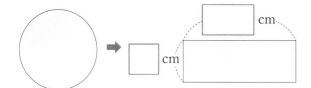

❋ 원의 넓이를 구해 보세요. (원주율: 3.14)

5

6 cm

(   )

6

10 cm

(   )

7

16 cm

(   )

8

22 cm

(   )

🌸 색칠한 부분의 넓이를 구해 보세요.

1

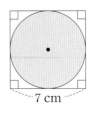

7 cm

원주율: 3.14

( )

2

8 cm

원주율: 3.1

( )

3

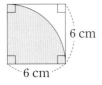

6 cm

6 cm

원주율: 3.14

( )

4

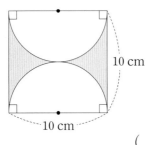

10 cm

10 cm

원주율: 3.1

( )

5

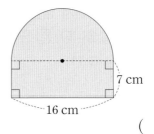

7 cm

16 cm

원주율: 3.14

( )

6

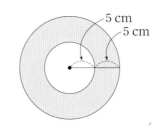

5 cm
5 cm

원주율: 3.1

( )

7

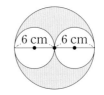

6 cm 6 cm

원주율: 3

( )

8

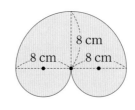

8 cm

8 cm 8 cm

원주율: 3

( )

6 원기둥, 원뿔, 구

❈ 원기둥에 ○표, 원기둥이 <u>아닌</u> 것에 ×표 하세요.

1

(   )

2

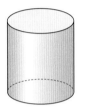

(   )

3

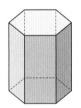

(   )

4

(   )

❈ 직사각형 모양의 종이를 한 변을 기준으로 돌려 만든 입체도형의 밑면의 지름과 높이를 각각 구해 보세요.

5

밑면의 지름 (   )

높이 (   )

6

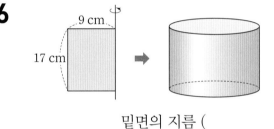

밑면의 지름 (   )

높이 (   )

7

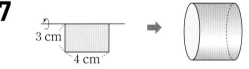

밑면의 지름 (   )

높이 (   )

8

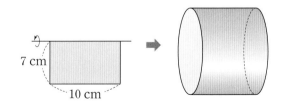

밑면의 지름 (   )

높이 (   )

❋ 원기둥의 전개도에 ○표, 원기둥의 전개도가 <u>아닌</u> 것에 ×표 하세요.

1

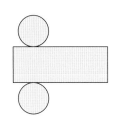

(   )

2

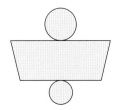

(   )

3

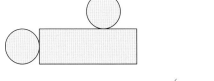

(   )

4

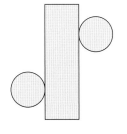

(   )

❋ 원기둥과 원기둥의 전개도를 보고 ☐ 안에 알맞은 수를 써넣으세요. (원주율: 3.1)

5

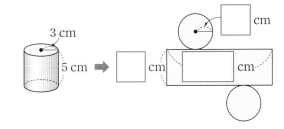

6

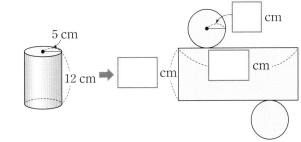

7

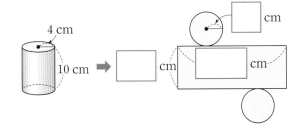

8

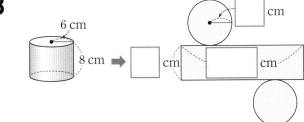

🌸 원기둥의 전개도를 그려 보세요. (원주율: 3)

1

3 cm
4 cm

1 cm
1 cm

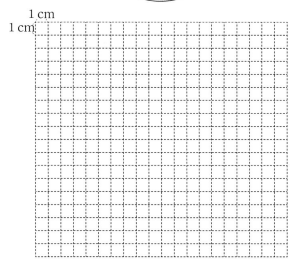

2

2 cm
5 cm

1 cm
1 cm

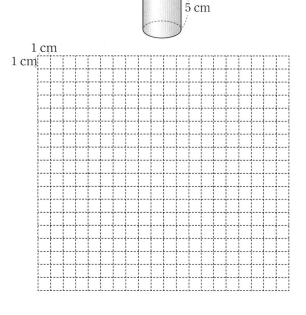

🌸 원기둥의 밑면의 반지름은 몇 **cm**인지 구해 보세요.
(원주율: 3)

3

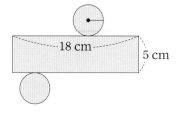
18 cm
5 cm

(   )

4

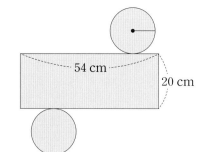
54 cm
20 cm

(   )

5

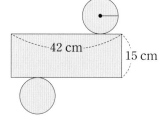
42 cm
15 cm

(   )

6

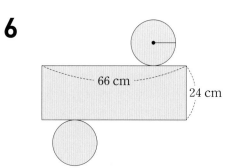
66 cm
24 cm

(   )

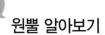

원뿔의 높이, 모선의 길이, 밑면의 지름을 구해 보세요.

1

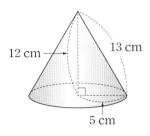

12 cm   13 cm

5 cm

높이 (   )

모선의 길이 (   )

밑면의 지름 (   )

2

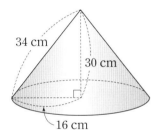

34 cm   30 cm

16 cm

높이 (   )

모선의 길이 (   )

밑면의 지름 (   )

3

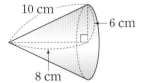

10 cm   6 cm

8 cm

높이 (   )

모선의 길이 (   )

밑면의 지름 (   )

직각삼각형 모양의 종이를 한 변을 기준으로 돌려 만든 입체도형의 밑면의 지름과 높이를 각각 구해 보세요.

4

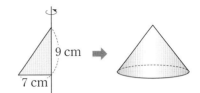

9 cm

7 cm

밑면의 지름 (   )

높이 (   )

5

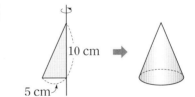

10 cm

5 cm

밑면의 지름 (   )

높이 (   )

6

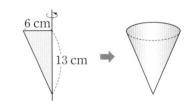

6 cm

13 cm

밑면의 지름 (   )

높이 (   )

7

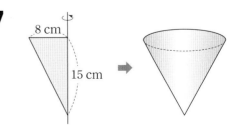

8 cm

15 cm

밑면의 지름 (   )

높이 (   )

✻ 반원 모양의 종이를 지름을 기준으로 한 바퀴 돌려 만든 입체도형의 반지름을 구해 보세요.

1

18 cm

(　　　　　)

2

20 cm

(　　　　　)

3

28 cm

(　　　　　)

4

32 cm

(　　　　　)

✻ 그림을 보고 설명이 맞으면 ○표, 틀리면 ✕표 하세요.

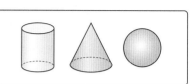

5

원기둥, 원뿔, 구를 위에서 본 모양은 모두 원으로 같습니다.

(　　　　　)

6

원기둥과 원뿔의 밑면의 수는 같습니다.

(　　　　　)

7

원뿔은 뾰족한 부분이 있는데 원기둥과 구는 없습니다.

(　　　　　)

8

원기둥은 기둥 모양인데 원뿔은 뿔 모양, 구는 공 모양입니다.

(　　　　　)

9

원기둥과 원뿔은 꼭짓점이 있는데 구는 없습니다.

(　　　　　)

정답

① 분수의 나눗셈

1 3　　　**2** 7　　　**3** 2　　　**4** 4

5 4　　　**6** 5　　　**7** 2　　　**8** 3

9 3　　　**10** 6

1 4, 3, $\frac{4}{3}$, $1\frac{1}{3}$　　　**2** 7, 5, $\frac{7}{5}$, $1\frac{2}{5}$

3 5, 3, $\frac{5}{3}$, $1\frac{2}{3}$　　　**4** 6, 5, $\frac{6}{5}$, $1\frac{1}{5}$

5 7, 2, $\frac{7}{2}$, $3\frac{1}{2}$　　　**6** 9, 4, $\frac{9}{4}$, $2\frac{1}{4}$

7

8

9

1 $2\frac{1}{3}$　　**2** $1\frac{1}{9}$　　**3** $\frac{2}{5}$　　**4** $1\frac{4}{9}$

5 $\frac{3}{8}$　　**6** $1\frac{4}{7}$　　**7** $\frac{5}{12}$　　**8** $1\frac{2}{5}$

9 $\frac{2}{3}$　　**10** $2\frac{3}{4}$　　**11** $1\frac{2}{7}$　　**12** $\frac{5}{13}$

1 6, 1, 6, 1, 6　　　**2** 12, 6, 12, 6, 2

3 5, 2, 5, 2, $\frac{5}{2}$, $2\frac{1}{2}$　　　**4** 15, 14, 15, 14, $\frac{15}{14}$, $1\frac{1}{14}$

5 63, 40, 63, 40, $\frac{63}{40}$, $1\frac{23}{40}$

6 8, 15, 8, 15, $\frac{8}{15}$　　　**7** 18, 35, 18, 35, $\frac{18}{35}$

8 10, 9, 10, 9, $\frac{10}{9}$, $1\frac{1}{9}$　　**9** 12, 5, 12, 5, $\frac{12}{5}$, $2\frac{2}{5}$

10 14, 9, 14, 9, $\frac{14}{9}$, $1\frac{5}{9}$

1 $\frac{2}{5} \div \frac{1}{20} = \frac{8}{20} \div \frac{1}{20} = 8 \div 1 = 8$

2 $\frac{5}{6} \div \frac{1}{3} = \frac{5}{6} \div \frac{2}{6} = 5 \div 2 = \frac{5}{2} = 2\frac{1}{2}$

3 $\frac{4}{5} \div \frac{4}{15} = \frac{12}{15} \div \frac{4}{15} = 12 \div 4 = 3$

4 $\frac{8}{9} \div \frac{1}{7} = \frac{56}{63} \div \frac{9}{63} = 56 \div 9 = \frac{56}{9} = 6\frac{2}{9}$

5 $\frac{3}{8} \div \frac{2}{3} = \frac{9}{24} \div \frac{16}{24} = 9 \div 16 = \frac{9}{16}$

6 $\frac{5}{7} \div \frac{3}{5} = \frac{25}{35} \div \frac{21}{35} = 25 \div 21 = \frac{25}{21} = 1\frac{4}{21}$

7 $\frac{7}{10} \div \frac{2}{5} = \frac{7}{10} \div \frac{4}{10} = 7 \div 4 = \frac{7}{4} = 1\frac{3}{4}$

8 $\frac{5}{8} \div \frac{4}{5} = \frac{25}{40} \div \frac{32}{40} = 25 \div 32 = \frac{25}{32}$

9 $\frac{5}{6} \div \frac{3}{8} = \frac{20}{24} \div \frac{9}{24} = 20 \div 9 = \frac{20}{9} = 2\frac{2}{9}$

10 $\frac{3}{4} \div \frac{7}{12} = \frac{9}{12} \div \frac{7}{12} = 9 \div 7 = \frac{9}{7} = 1\frac{2}{7}$

11 $\frac{9}{14} \div \frac{4}{21} = \frac{27}{42} \div \frac{8}{42} = 27 \div 8 = \frac{27}{8} = 3\frac{3}{8}$

12 $\frac{9}{16} \div \frac{5}{12} = \frac{27}{48} \div \frac{20}{48} = 27 \div 20 = \frac{27}{20} = 1\frac{7}{20}$

1 3, 7, 14　　**2** 5, 9, 18　　**3** 3, 8, 40

4 2, 7, 28　　**5** 3, 4, 12　　**6** 4, 9, 27

7 $8 \div \frac{4}{9} = (8 \div 4) \times 9 = 18$

8 $12 \div \frac{6}{7} = (12 \div 6) \times 7 = 14$

9 $14 \div \frac{7}{11} = (14 \div 7) \times 11 = 22$

10 $16 \div \frac{2}{9} = (16 \div 2) \times 9 = 72$

11 $6 \div \frac{2}{5} = (6 \div 2) \times 5 = 15$

12 $20 \div \frac{5}{8} = (20 \div 5) \times 8 = 32$

7 (분수)÷(분수)를 (분수)×(분수)로 나타내어 보기 10쪽

1 $3, 8, \dfrac{8}{3}, \dfrac{32}{15}, 2\dfrac{2}{15}$ **2** $4, 7, \dfrac{7}{4}, \dfrac{35}{36}$

3 $2, 3, \dfrac{3}{2}, \dfrac{9}{16}$ **4** $5, 6, \dfrac{6}{5}, \dfrac{12}{35}$

5 $\dfrac{3}{4} \div \dfrac{8}{9} = \dfrac{3}{4} \times \dfrac{9}{8} = \dfrac{27}{32}$

6 $\dfrac{6}{7} \div \dfrac{2}{5} = \dfrac{\overset{3}{6}}{7} \times \dfrac{5}{\underset{1}{2}} = \dfrac{15}{7} = 2\dfrac{1}{7}$

7 $\dfrac{4}{9} \div \dfrac{7}{12} = \dfrac{4}{\underset{3}{9}} \times \dfrac{\overset{4}{12}}{7} = \dfrac{16}{21}$

8 $\dfrac{2}{3} \div \dfrac{4}{7} = \dfrac{\overset{1}{2}}{3} \times \dfrac{7}{\underset{2}{4}} = \dfrac{7}{6} = 1\dfrac{1}{6}$

9 $\dfrac{7}{16} \div \dfrac{3}{4} = \dfrac{7}{\underset{4}{16}} \times \dfrac{\overset{1}{4}}{3} = \dfrac{7}{12}$

10 $\dfrac{8}{15} \div \dfrac{4}{5} = \dfrac{8}{\underset{3}{15}} \times \dfrac{\overset{1}{5}}{\underset{1}{4}} = \dfrac{2}{3}$

8 (분수)÷(분수) 계산해 보기(1) 11쪽

1 방법1 $\dfrac{7}{4} \div \dfrac{3}{5} = \dfrac{35}{20} \div \dfrac{12}{20} = 35 \div 12 = \dfrac{35}{12} = 2\dfrac{11}{12}$

  방법2 $\dfrac{7}{4} \div \dfrac{3}{5} = \dfrac{7}{4} \times \dfrac{5}{3} = \dfrac{35}{12} = 2\dfrac{11}{12}$

2 방법1 $\dfrac{9}{8} \div \dfrac{6}{7} = \dfrac{63}{56} \div \dfrac{48}{56} = 63 \div 48$

$= \dfrac{\overset{21}{63}}{\underset{16}{48}} = \dfrac{21}{16} = 1\dfrac{5}{16}$

  방법2 $\dfrac{9}{8} \div \dfrac{6}{7} = \dfrac{9}{8} \times \dfrac{7}{\underset{2}{\overset{3}{6}}} = \dfrac{21}{16} = 1\dfrac{5}{16}$

3 방법1 $\dfrac{11}{6} \div \dfrac{2}{3} = \dfrac{11}{6} \div \dfrac{4}{6} = 11 \div 4 = \dfrac{11}{4} = 2\dfrac{3}{4}$

  방법2 $\dfrac{11}{6} \div \dfrac{2}{3} = \dfrac{11}{\underset{2}{6}} \times \dfrac{\overset{1}{3}}{2} = \dfrac{11}{4} = 2\dfrac{3}{4}$

4 방법1 $3\dfrac{3}{4} \div \dfrac{5}{8} = \dfrac{15}{4} \div \dfrac{5}{8} = \dfrac{30}{8} \div \dfrac{5}{8} = 30 \div 5 = 6$

  방법2 $3\dfrac{3}{4} \div \dfrac{5}{8} = \dfrac{15}{4} \div \dfrac{5}{8} = \dfrac{\overset{3}{15}}{\underset{1}{4}} \times \dfrac{\overset{2}{8}}{\underset{1}{5}} = 6$

5 방법1 $1\dfrac{5}{6} \div \dfrac{7}{9} = \dfrac{11}{6} \div \dfrac{7}{9} = \dfrac{33}{18} \div \dfrac{14}{18} = 33 \div 14$

$= \dfrac{33}{14} = 2\dfrac{5}{14}$

  방법2 $1\dfrac{5}{6} \div \dfrac{7}{9} = \dfrac{11}{6} \div \dfrac{7}{9} = \dfrac{11}{\underset{2}{6}} \times \dfrac{\overset{3}{9}}{7} = \dfrac{33}{14} = 2\dfrac{5}{14}$

6 방법1 $2\dfrac{5}{8} \div \dfrac{3}{5} = \dfrac{21}{8} \div \dfrac{3}{5} = \dfrac{105}{40} \div \dfrac{24}{40}$

$= 105 \div 24 = \dfrac{\overset{35}{105}}{\underset{8}{24}} = \dfrac{35}{8} = 4\dfrac{3}{8}$

  방법2 $2\dfrac{5}{8} \div \dfrac{3}{5} = \dfrac{21}{8} \div \dfrac{3}{5} = \dfrac{\overset{7}{21}}{8} \times \dfrac{5}{\underset{1}{3}} = \dfrac{35}{8} = 4\dfrac{3}{8}$

9 (분수)÷(분수) 계산해 보기(2) 12쪽

1 $4\dfrac{1}{5}$ **2** $3\dfrac{6}{7}$ **3** $5\dfrac{5}{6}$ **4** $1\dfrac{19}{25}$

5 $2\dfrac{2}{3}$ **6** $1\dfrac{7}{9}$ **7** $1\dfrac{13}{14}$ **8** $3\dfrac{1}{3}$

9 $7\dfrac{1}{3}$ **10** $3\dfrac{1}{3}$ **11** $6\dfrac{2}{5}$ **12** $4\dfrac{2}{3}$

2 소수의 나눗셈

1 (소수)÷(소수) 알아보기(1) 14쪽

1 232, 4, 232 / 232, 232, 58, 58
2 516, 6, 516 / 516, 516, 86, 86
3 (위에서부터) 예 10, 10, 536, 8, 67, 67
4 (위에서부터) 예 100, 100, 441, 9, 49, 49
5 (위에서부터) 예 100, 100, 645, 15, 43, 43

2 (소수)÷(소수) 알아보기(2)−①   15쪽

1 $7.6 \div 0.4 = \dfrac{76}{10} \div \dfrac{4}{10} = 76 \div 4 = 19$

2 $8.4 \div 0.6 = \dfrac{84}{10} \div \dfrac{6}{10} = 84 \div 6 = 14$

3 $5.95 \div 0.35 = \dfrac{595}{100} \div \dfrac{35}{100} = 595 \div 35 = 17$

4 $2.43 \div 0.27 = \dfrac{243}{100} \div \dfrac{27}{100} = 243 \div 27 = 9$

5 $6.38 \div 0.58 = \dfrac{638}{100} \div \dfrac{58}{100} = 638 \div 58 = 11$

6 7, 13   **7** 9, 18   **8** 288, 8   **9** 41, 17

10 28, 14   **11** 888, 12

3 (소수)÷(소수) 알아보기(2)−②   16쪽

1 8   **2** 12   **3** 9   **4** 7

5 18   **6** 17   **7** 19   **8** 6

9 19   **10** 16   **11** 23   **12** 14

13 13

4 (소수)÷(소수) 알아보기(3)−①   17쪽

1 986, 290, 3.4 / 98.6, 29, 3.4

2 544, 340, 1.6 / 54.4, 34, 1.6

3 893, 470, 1.9 / 89.3, 47, 1.9

4 1.7   **5** 2.4   **6** 1.6

7 1.2   **8** 1.4

5 (소수)÷(소수) 알아보기(3)−②   18쪽

1

$$
\begin{array}{r}
5.4 \\
0.7\,\overline{)\,3.7\,8} \\
3\,5 \\
\hline
2\,8 \\
2\,8 \\
\hline
0
\end{array}
\quad \text{또는} \quad
\begin{array}{r}
5.4 \\
0.7\,\overline{)\,3.7\,8} \\
3\,5\,0 \\
\hline
2\,8\,0 \\
2\,8\,0 \\
\hline
0
\end{array}
$$

2

$$
\begin{array}{r}
6.9 \\
0.4\,\overline{)\,2.7\,6} \\
2\,4 \\
\hline
3\,6 \\
3\,6 \\
\hline
0
\end{array}
\quad \text{또는} \quad
\begin{array}{r}
6.9 \\
0.4\,\overline{)\,2.7\,6} \\
2\,4\,0 \\
\hline
3\,6\,0 \\
3\,6\,0 \\
\hline
0
\end{array}
$$

3

$$
\begin{array}{r}
4.6 \\
1.7\,\overline{)\,7.8\,2} \\
6\,8 \\
\hline
1\,0\,2 \\
1\,0\,2 \\
\hline
0
\end{array}
\quad \text{또는} \quad
\begin{array}{r}
4.6 \\
1.7\,\overline{)\,7.8\,2} \\
6\,8\,0 \\
\hline
1\,0\,2\,0 \\
1\,0\,2\,0 \\
\hline
0
\end{array}
$$

4

$$
\begin{array}{r}
3.5 \\
2.3\,\overline{)\,8.0\,5} \\
6\,9 \\
\hline
1\,1\,5 \\
1\,1\,5 \\
\hline
0
\end{array}
\quad \text{또는} \quad
\begin{array}{r}
3.5 \\
2.3\,\overline{)\,8.0\,5} \\
6\,9\,0 \\
\hline
1\,1\,5\,0 \\
1\,1\,5\,0 \\
\hline
0
\end{array}
$$

5 8.92, 22.3   **6** 4.25, 1.7   **7** 2.85, 9.5

8 1.75, 2.5   **9** 4.06, 2.9

6 (자연수)÷(소수) 알아보기(1)   19쪽

1 $54 \div 0.6 = \dfrac{540}{10} \div \dfrac{6}{10} = 540 \div 6 = 90$

2 $42 \div 2.8 = \dfrac{420}{10} \div \dfrac{28}{10} = 420 \div 28 = 15$

3 $9 \div 0.15 = \dfrac{900}{100} \div \dfrac{15}{100} = 900 \div 15 = 60$

4 $8 \div 1.25 = \dfrac{800}{100} \div \dfrac{125}{100} = 800 \div 125 = 6.4$

5 $6 \div 0.24 = \dfrac{600}{100} \div \dfrac{24}{100} = 600 \div 24 = 25$

6 (위에서부터) 10, 15, 15, 10

7 (위에서부터) 10, 6, 6, 10

8 (위에서부터) 10, 40, 40, 10

9 (위에서부터) 100, 20, 20, 100

10 (위에서부터) 100, 50, 50, 100

7 (자연수)÷(소수) 알아보기(2)   20쪽

1 30   **2** 15   **3** 24
4 12   **5** 25   **6** 8, 80, 800
7 17, 170, 1700   **8** 26, 260, 2600   **9** 44, 440, 4400

8 몫을 반올림하여 나타내기(1)   21쪽

1 2   **2** 1   **3** 3   **4** 3
5 14   **6** 3.3   **7** 0.6   **8** 7.4
9 3.6   **10** 12.8

9 몫을 반올림하여 나타내기(2)   22쪽

1 1.29   **2** 9.17   **3** 1.23   **4** 7.11
5 12.29
6 2, 1.6, 1.56
7 7, 6.9, 6.86
8 2, 1.7, 1.71
9 14, 13.8, 13.83
10 31, 31.3, 31.33

10 나누어 주고 남는 양 알아보기(1)   23쪽

1 1.8 / 5, 1.8   **2** 5, 4.9 / 5, 4.9
3 7명, 0.4 L   **4** 5상자, 0.3 m
5 6개, 0.2 L   **6** 8개, 3.6 g

11 나누어 주고 남는 양 알아보기(2)   24쪽

1   8 / 8, 1.5
$$5\overline{)41.5}$$
$$\quad\underline{40}$$
$$\quad\quad 1.5$$

2   7 / 7, 5.4
$$6\overline{)47.4}$$
$$\quad\underline{42}$$
$$\quad\quad 5.4$$

3   6 / 6, 0.3
$$3\overline{)18.3}$$
$$\quad\underline{18}$$
$$\quad\quad 0.3$$

4   5 / 5, 0.2
$$9\overline{)45.2}$$
$$\quad\underline{45}$$
$$\quad\quad 0.2$$

★3 공간과 입체

1 어느 방향에서 보았는지 알아보기   26쪽

1 ㉢   **2** ㉣
3 ㉠ 오른쪽, ㉡ 앞   **4** ㉠ 위, ㉡ 오른쪽

2 쌓은 모양과 쌓기나무의 개수 알아보기(1)   27쪽

1 (1)—㉢ (2)—㉠ (3)—㉡   **2** (1)—㉢ (2)—㉡ (3)—㉠
3 10개   **4** 11개   **5** 9개   **6** 11개

3 쌓은 모양과 쌓기나무의 개수 알아보기(2)—①   28쪽

4 쌓은 모양과 쌓기나무의 개수 알아보기(2)—②   29쪽

1 9개   **2** 7개   **3** 8개   **4** 8개

5 쌓은 모양과 쌓기나무의 개수 알아보기(3)   30쪽

7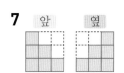

8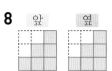

---

6 쌓은 모양과 쌓기나무의 개수 알아보기⑷   31쪽

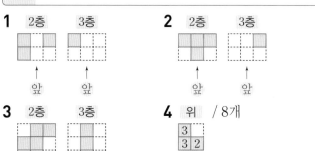

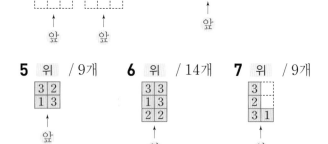

5 위 / 9개   **6** 위 / 14개   **7** 위 / 9개

---

7 여러 가지 모양 만들기   32쪽

1 다   **2** 가   **3** 나   **4** 가, 나

5 나, 다   **6** 가, 다

⭐**4** 비례식과 비례배분

I 비의 성질 알아보기   34쪽

1   **2**

3   **4**

---

5 예 1 : 3, 40 : 120   **6** 예 5 : 7, 20 : 28

7 예 5 : 3, 150 : 90   **8** 예 3 : 2, 180 : 120

9 예 9 : 7, 72 : 56   **10** 예 6 : 11, 54 : 99

---

2 간단한 자연수의 비로 나타내어 보기⑴   35쪽

1 (위에서부터) 21, 9   **2** (위에서부터) 36, 20

3 (위에서부터) 20, 24   **4** (위에서부터) 10, 7

5 (위에서부터) 37, 10   **6** (위에서부터) 100, 8

7 (위에서부터) 7, 100   **8** (위에서부터) 7, 7

9 (위에서부터) 9, 8   **10** (위에서부터) 7, 8

---

3 간단한 자연수의 비로 나타내어 보기⑵   36쪽

1 예 5 : 23   **2** 예 12 : 7   **3** 예 103 : 81

4 예 7 : 2   **5** 예 13 : 17   **6** 예 14 : 15

7 예 15 : 4   **8** 예 5 : 21

9 방법1 $\frac{1}{5} : 0.9 \Rightarrow 0.2 : 0.9 \Rightarrow 2 : 9$

　　방법2 $\frac{1}{5} : 0.9 \Rightarrow \frac{1}{5} : \frac{9}{10} \Rightarrow 2 : 9$

10 방법1 $0.38 : \frac{3}{20} \Rightarrow 0.38 : 0.15 \Rightarrow 38 : 15$

　　방법2 $0.38 : \frac{3}{20} \Rightarrow \frac{38}{100} : \frac{3}{20} \Rightarrow 38 : 15$

11 방법1 $2.3 : 1\frac{1}{2} \Rightarrow 2.3 : 1.5 \Rightarrow 23 : 15$

　　방법2 $2.3 : 1\frac{1}{2} \Rightarrow \frac{23}{10} : \frac{3}{2} \Rightarrow 23 : 15$

---

4 비례식 알아보기   37쪽

1 2, 28 / 7, 8   **2** 9, 20 / 4, 45

3 1, 72 / 8, 9   **4** 6, 8 / 4, 12

5 6, 42 / 14, 18

6 3 : 7 = 15 : 35(또는 15 : 35 = 3 : 7)

7 25 : 40 = 5 : 8(또는 5 : 8 = 25 : 40)

8 12 : 16 = 24 : 32(또는 24 : 32 = 12 : 16)

9 $\frac{1}{5} : \frac{1}{4} = 2.8 : 3.5 \left(\text{또는 } 2.8 : 3.5 = \frac{1}{5} : \frac{1}{4}\right)$

10 6 : 10 = 0.9 : 1.5(또는 0.9 : 1.5 = 6 : 10)

| 5 | 비례식의 성질 알아보기(1) | 38쪽 |

1 ㉠, ㉣ **2** ㉡, ㉢
3 ㉡, ㉣ **4** ㉠, ㉢
5 ㉢, ㉣ **6** 9, 63, 21
7 12, 108, 27 **8** 26, 182, 14
9 6, 330, 11

| 6 | 비례식의 성질 알아보기(2) | 39쪽 |

1 3 **2** 9 **3** 20 **4** 27
5 18 **6** 56 **7** 18 **8** 4
9 3 **10** 11 **11** 7 **12** 45
13 18 **14** 6

| 7 | 비례식을 활용해 보기 | 40쪽 |

1 600 g **2** 315명 **3** 28 m **4** 56 cm
5 16800원 **6** 15 L **7** 360 g **8** 72바퀴

| 8 | 비례배분해 보기(1) | 41쪽 |

1 4, $\frac{3}{7}$, 6 / 4, $\frac{4}{7}$, 8 **2** 2, $\frac{7}{9}$, 28 / 2, $\frac{2}{9}$, 8

3 9, $\frac{7}{16}$, 35 / 9, $\frac{9}{16}$, 45 **4** 6, 18 **5** 30, 66

6 18, 30 **7** 36, 16 **8** 48, 18 **9** 32, 40
10 100, 40

| 9 | 비례배분해 보기(2) | 42쪽 |

1 1500원, 4500원 **2** 30권, 50권
3 27자루, 21자루 **4** 44 cm, 33 cm
5 480 g, 420 g **6** 8 kg, 10 kg
7 98개, 70개 **8** 24 cm, 18 cm

⭐5 원의 넓이

| Ⅰ | 원주와 지름의 관계 알아보기 | 44쪽 |

1 × **2** × **3** ○ **4** ○
5 × **6** ㉡ **7** ㉡ **8** ㉢

| 2 | 원주율 알아보기 | 45쪽 |

1 3, 3.1 **2** 3.1, 3.14 **3** 3.1, 3.14
4 3, 3.1 **5** 3.1, 3.14 **6** 3.1, 3.14

| 3 | 원주와 지름 구해 보기(1) | 46쪽 |

1 18.84 cm **2** 28.26 cm
3 25.12 cm **4** 43.96 cm
5 8 **6** 11
7 9 **8** 6

| 4 | 원주와 지름 구해 보기(2) | 47쪽 |

1 58.9 cm **2** 50.24 cm
3 77.5 m **4** 15 cm
5 21 cm **6** 24 cm
7 697.5 cm **8** 18840 cm

| 5 | 원의 넓이 어림해 보기 | 48쪽 |

1 18, 36, 18, 36 **2** 98, 196, 98, 196
3 60, 88, 60, 88 **4** 88, 132, 88, 132

6 원의 넓이 구하는 방법 알아보기 49쪽

1 (위에서부터) 12.4, 4 **2** (위에서부터) 15.5, 5
3 (위에서부터) 21.7, 7 **4** (위에서부터) 27.9, 9
5 113.04 cm² **6** 314 cm²
7 200.96 cm² **8** 379.94 cm²

7 여러 가지 원의 넓이 구해 보기 50쪽

1 38.465 cm² **2** 24.8 cm² **3** 28.26 cm²
4 22.5 cm² **5** 212.48 cm² **6** 232.5 cm²
7 54 cm² **8** 144 cm²

⑥ 원기둥, 원뿔, 구

1 원기둥 알아보기 52쪽

1 × **2** ○ **3** × **4** ○
5 8 cm, 9 cm **6** 18 cm, 17 cm
7 6 cm, 4 cm **8** 14 cm, 10 cm

2 원기둥의 전개도 알아보기(1) 53쪽

1 ○ **2** × **3** × **4** ○
5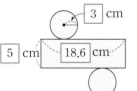
6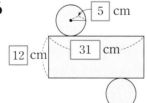
7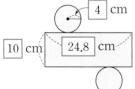
8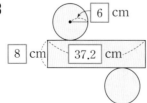

3 원기둥의 전개도 알아보기(2) 54쪽

1
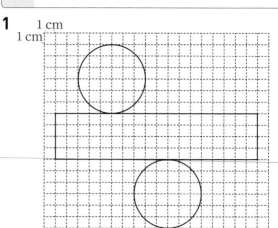

2
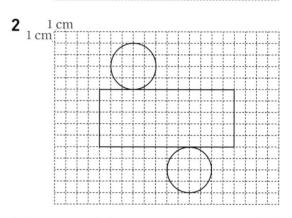

3 3 cm **4** 9 cm **5** 7 cm **6** 11 cm

4 원뿔 알아보기 55쪽

1 12 cm, 13 cm, 10 cm
2 30 cm, 34 cm, 32 cm
3 8 cm, 10 cm, 12 cm
4 14 cm, 9 cm **5** 10 cm, 10 cm
6 12 cm, 13 cm **7** 16 cm, 15 cm

5 구 알아보기 56쪽

1 9 cm **2** 10 cm **3** 14 cm **4** 16 cm
5 ○ **6** × **7** ○ **8** ○
9 ×

만점에 다가가는 플러스 알파

만점왕 알파북

[EBS] 6학년 만점왕 알파북 계산편

63410

9 788954 751353
ISBN 978-89-547-5135-3

[비 매 품]

초|등|부|터 EBS

마스터하a

학습의
밑거름
어휘력을
완성하자

어휘편
6-2

만점에 다가가는 플러스 알파

만점왕 알파북